Colega lee

Serie morada
EL COMITÉ SECRETO

1.ª edición: 2011
6.ª impresión: 2021

© Edelsa Grupo Didascalia, S.A. Madrid, 2011.

Directora del proyecto y coordinadora: María Luisa Hortelano.
Autora: Elena González Hortelano.
Dirección y coordinación editorial: Departamento de Edición de Edelsa.
Diseño de cubierta: Departamento de Imagen de Edelsa.
Ilustradora: Ángeles Peinador.

ISBN: 978-84-7711-730-8
Depósito Legal: M-32543-2011
Impreso en España / Printed in Spain

CIAC
Carné del CIAC.
Nombre: Ana González
Edad: 9 años
Mascota: Colega (perro)
Especialidad: Ingenio,
generosidad

Chema, Elena, Julia, mi hermano Rubén y yo somos amigos y vecinos. Vamos juntos al colegio, jugamos en el mismo equipo de fútbol y tenemos un grupo de música que se llama Sistema Solar. Pero además formamos parte de un comité secreto: el Comité Infantil de Ayuda Ciudadana, o CIAC.

Tenemos nuestros carnés y un buzón de ayuda al ciudadano en la panadería de Vicente. Cuando alguien necesita ayuda, deja un mensaje dentro del buzón y nosotros intentamos ayudarlo.

Cada día uno de nosotros va a la panadería para ver si hay alguna carta en el buzón. Hoy le toca a Chema.

A las seis.

- ¡Hola, Julia!
- Un momento, ¿llevas tu carné?
- Sí, claro, mira.

- Bueno, ya estamos todos. ¡Atención, voy a leer la primera carta!
- Sí, Chema, ¡léela!

Queridos miembros del CIAC:

La verdad es que no sé quiénes sois, pero os pido ayuda porque estoy desesperada. Tengo 80 años y vivo sola. Necesito ayuda para hacer la compra, llevar las bolsas y subirlas a mi casa. Vivo en un quinto piso. No tengo mucho dinero y contratar a una persona es caro, pero hago unas magdalenas deliciosas...

Si podéis ayudarme, mi número de teléfono es el 918032271.

Muchas gracias,

Carmen Centeno

- ¡Tenemos que ayudar a Carmen!
- Sí. Chema, lee la segunda carta.
- Lleva una foto dentro, mirad.

Me llamo Clara y soy veterinaria.

Adoro a los animales. Desde hace varios días,
no sé dónde está mi perrita husky. Es la de la foto,
se llama Cloti y está embarazada de ocho cachorritos.
Estoy muy preocupada.
¡Por favor, ayudadme a encontrarla!
Mi teléfono es el 918034532. ¡Gracias!

- ¡Pobrecilla!

- Llamo primero a Carmen.

- Sí, dígame.
- Hola, soy Ana González, llamo del Comité Infantil de Ayuda Ciudadana. Tenemos una carta donde dice que necesita ayuda.
- ¿A Buda? ¿Que yo necesito a Buda?
- No, ¡ayuda! ¡Ayuda para hacer la compra!
- ¡Ah! Sí, sí, hija, dime.

- ¡Carmen está un poco sorda!

- ¿Cuándo podemos quedar?
- ¿Regar? ¡Tienes que regar todos los días, si no las plantas se mueren de sed!
- ¡No! ¡Digo que cuándo podemos ir a su casa para ayudarla!
- ¡Ah!, ¿qué tal mañana jueves? Vivo en la Calle de la Luna 8, 5.° C. ¿A las seis y media?
- Después del cole, perfecto. Adiós.
- ¿A las dos?
- No, ¡a las seis y media está bien! ¡Hasta mañana, Carmen!

5°B

5°C

Al día siguiente por la tarde.

- Muchas gracias, niños. Ahora entráis y os coméis unas magdalenas, ¡están deliciosas!
- ¡Qué raro, Colega gruñe a esa puerta! Carmen, ¿quién vive en el 5.° B?
- Vive un hombre de unos 35 años. Tiene bigote
  y lleva ropa oscura. Habla poco con los vecinos, casi nunca está en casa.
- Hay una placa en la puerta. Dice: Pedro
  Muñoz Crespo, Veterinario.

- Auuuuu, auuuuu.
- Grrrrr.

- ¡Escuchad! ¿Qué son esos ruidos?
- Vienen de dentro de la casa, parece un perro.
  ¿Pensáis lo mismo que yo?
- Carmen, ¿podemos hacer una reunión del Co-
  mité en tu salón?
- Sí, claro.
- ¡Reunión urgente!

- A lo mejor es la perra de Clara la que está en la casa de al lado. ¿Y si ese hombre la tiene secuestrada?

- Sí, pero ¿para qué?

- No lo sé. Pero tenemos que saber si es Cloti o no. Mirad, desde esta ventana vemos el edificio de enfrente. Si la casa de al lado tiene una ventana igual que esta, podemos ver qué hay dentro del 5.º B desde el edificio de enfrente. ¡Solo necesitamos unos prismáticos! A lo mejor Carmen nos presta unos.

- Hasta la semana que viene. Gracias, chicos.
- Adiós, Carmen. ¡Gracias por los prismáticos y por las magdalenas!

- Bueno, este es el plan: Ana, Rubén y yo subimos al otro edificio para ver con los prismáticos qué hay dentro de la casa. Chema y Julia vigilan abajo, en la calle, y llaman a Clara por teléfono. Tenemos que saber si ese hombre es de verdad veterinario, no veo ningún cliente por aquí...

- ¡Eh!, Colega, ¿adónde vas? ¡No! ¡Vuelve! ¡Plom!

- ¿Qué hacemos ahora? ¡La puerta está cerrada y Colega dentro!
- Cambio de planes: yo me quedo aquí escondida al lado de la puerta, no me voy sin Colega. Julia, Chema, llamad a Clara para saber si Pedro es veterinario o no. Toma, Elena. Mira tú con Rubén y si veis algo raro, me llamáis.
- ¡Vamos!

- Dígame.
- ¿Eres Clara?
- Sí, ¿quién es?
- Me llamo Julia Pérez, soy del Comité Infantil de Ayuda Ciudadana. Tienes que hacernos un favor, en tu carta dices que eres veterinaria...

- Elena, ¿ves algo?
- Sí. La casa no tiene cortinas y tampoco muchos muebles. Es la ventana del salón, creo. Veo un perro de raza husky rodeado de cachorros. ¡Es Cloti, Rubén, estoy segura, mira!

- ¡Es verdad, yo también la reconozco! Y ahí está Colega. No hay nadie más en la casa.
- No, el hombre no está dentro de la casa. ¡Vamos!

– Clara, creemos que el hombre que tiene a tu perra dice que es veterinario y no lo es. Estamos al lado de su casa.

– ¿Sabes su nombre y sus apellidos?

– Sí. Pedro Muñoz Crespo.

– Espera, voy a consultarlo en la página web del Colegio de Veterinarios.

- ¿Julia? Ese nombre no figura en las listas de veterinarios titulados. Voy a llamar a un amigo policía. Tened cuidado, puede ser peligroso. Ahora os llamo.
- Gracias, Clara.

- ¡No es veterinario!
- Chicos, Carmen dice que su vecino es un hombre de 35 años, con bigote y que lleva ropa oscura, ¿verdad? ¡Pues es aquel hombre que entra en el portal!
- ¡Oh, no, Ana! ¡Tenemos que avisarla!

5ºB   5ºC

La luz se enciende. Escucho pasos. Veo la silueta de un hombre en las escaleras... ¡es él! La puerta de Carmen se abre...

- Pedro, hijo, ¿te importa entrar a ver qué le pasa a la televisión? No funciona bien.
- ¡Carmen! Bueno, entro.

- ¡Casi me ve!
- ¿Dónde está?
- Está dentro de la casa de Carmen, en el 5.° C.
- Tranquila, Ana. Esta es Clara y este es César, su amigo policía. El vecino de Carmen no es veterinario. Roba perros y luego los vende, la policía lo conoce.

- Estás detenido por robo y tráfico de animales.
  ¡Vamos, camina!
- ¡Cloti, tus cachorritos!
- ¡Colega!
- ¿Entráis y os coméis unas magdalenas?
- ¡Sí! Vamos, Clara, ¡están muy buenas!

- Estoy sorda, pero veo muy bien. Y si miro por la ventana y veo que salen del edificio Chema, Julia, Elena y Rubén, pero Ana no..., es porque Ana todavía está dentro del edificio. ¡Y de pronto veo llegar a Pedro!
- ¡Qué susto!

- Por suerte todos estáis bien, pero lo que hacéis es peligroso, ¡solo sois niños!
- Ya, pero todos necesitamos ayuda.
- De acuerdo, pero si el Comité la necesita pedídmela siempre, ¿lo prometéis? Ya tenéis mi teléfono.
- ¡Lo prometemos!
- ¡Magdalenas recién sacadas del horno para todos!

ACTIVIDADES DE EXPLOTACIÓN:

EL COMITÉ SECRETO

ACTIVIDADES DE EXPLOTACIÓN:
EL COMITÉ SECRETO

Objetivo: Comprobar y afianzar la comprensión lectora.

1. Verdadero o falso.
Lee las dos frases, ¿cuál es verdadera y cuál es falsa?

Ejemplo: *Carmen y los niños quedan a las seis y media.* **V**
Carmen y los niños quedan a las dos. **F**

a. Ana y sus amigos tienen un comité secreto para ayudar a sus vecinos.
Ana y sus amigos tienen un buzón de ayuda al ciudadano en la farmacia.

b. Carmen necesita ayuda para hacer magdalenas.
Carmen no oye muy bien, está un poco sorda.

c. Carmen vive en el 5ºB.
Carmen es vecina de Pedro.

d. Colega entra en casa de Pedro.
Colega es el perro de Clara.

e. Elena y Rubén ven el salón del 5ºB desde el edificio de enfrente, con los prismáticos.
Los prismáticos sirven para leer el periódico.

f. Pedro no ve a Ana escondida al lado de su puerta porque Carmen le llama.
Carmen ve salir del edificio a Rubén, Elena, Chema, Julia, Colega y Ana.

g. Clara es amiga de un policía que se llama César.
Pedro es veterinario titulado.

h. Clara detiene a Pedro.
Pedro es un ladrón de animales.

2. La ficha de la policía.
Escribe las preguntas que la policía le hace a Pedro. Empieza cada pregunta con uno de estos interrogativos.

Qué-Cuántos-Cómo-De dónde-Con quién-Cuál

a. ¿Cómo te.........................?- Me llamo Pedro Muñoz Crespo.
b. ¿.........................?- Tengo 33 años.
c. ¿.........................?- Soy de España. Soy español.
d. ¿.........................?- Calle de la Luna, 8, 5.ºB.
e. ¿.........................?- Vivo solo.
f. ¿.........................?- Hablo español, inglés y francés.

3. Los niños ayudan a Carmen a hacer la compra.
Lee la descripción, dibuja las tiendas y contesta.

La panadería de Vicente está a la izquierda de la frutería. La pescadería está entre la farmacia y la tienda de deportes. La farmacia está a la derecha de la frutería. Colega está enfrente de la tienda de deportes.

.... La frutería ....

a. ¿Dónde hay una tienda de deportes? ....
b. ¿Dónde está la frutería? ....
c. ¿Qué tienda hay a la derecha de la pescadería? ....
d. ¿Entre qué tiendas está la farmacia? ....

> **Objetivo:** Practicar expresiones horarias, vocabulario de compras, estructuras interrogativas y afirmativas con *haber* y la concordancia entre el sujeto y el verbo.

4. ¿Cuánto y a qué hora?
Calcula y contesta.

a. Carmen y los niños quedan a las seis y media. Tardan media hora en hacer la compra y un cuarto de hora en llegar a casa de Carmen.
¿A qué hora llegan a casa de Carmen?
Carmen y los niños llegan a las ....

b.. Las manzanas cuestan 3 euros el kilo y las naranjas, 2 euros el kilo. Carmen compra dos kilos de manzanas y uno de naranjas.
¿Cuánto dinero paga?
....

c. En el salón del 5ºB hay un sillón, dos sillas y un armario.
¿Cuántos muebles hay en total?
....

d. Clara llama a César por teléfono a las ocho menos cuarto. César y Clara llegan a casa de Carmen un cuarto de hora después.
¿A qué hora llegan?
....

e. ¿Cuántos perros salen de casa de Pedro cuando la policía abre la puerta?
....

f. ¿Cuántas magdalenas aparecen en los dibujos del cuento?
....

5. El horario de Clara.
  Lee el horario de Clara y contesta.

HORARIO

Por la mañana	Por la tarde	Por la noche
8.00 h Me levanto.	2.30 h Como.	9.30 h Hago la cena.
8.15 h Desayuno.	3.45 h Duermo la siesta.	10.00 h Ceno.
8.30 h Me lavo los dientes.	5.30 h Trabajo.	10.45 h Leo.
9.00 h Trabajo.	7.15 h Paseo con Cloti.	11.30 h Me acuesto.

a. ¿A qué hora se levanta Clara?
....

b. ¿A qué hora se lava los dientes?
....

c. ¿A qué hora come?
....

d. ¿Qué hace a las cuatro menos cuarto de la tarde?
....

e. ¿A qué hora pasea con Cloti?
....

f. ¿A qué hora lee por las noches?
....

6. ¡Ahora tú!
Test: Contesta estas preguntas para saber si eres casero o aventurero.

1. ¿Qué regalo prefieres?
   A. Una bolsa de magdalenas.
   B. Unos prismáticos.

2. ¿Qué vecinos prefieres?
   A. Una mujer de 80 años con 7 gatos.
   B. Una familia con niños de mi edad.

3. ¿Dónde prefieres ir de viaje?
   A. A la playa, a bañarme y a tomar el sol.
   B. A un pueblo con bosque, a montar en bici.

4. ¿Tienes muchos secretos?
   A. No.
   B. Más de tres.

5. ¿En qué piso prefieres vivir?
   A. En un segundo.
   B. En un primero o en un quinto.

6. ¿En qué comité prefieres estar?
   A. En un comité científico.
   B. En un comité de defensa de los animales.

RESULTADOS

Mayoría A: Casero. Eres tranquilo y cariñoso. Te gusta estar en casa con tu familia y tus amigos. Tus amigos confían en ti.

Mayoría B: Aventurero. Eres valiente e inquieto. Te gusta buscar aventuras y salir con tus amigos. Sabes divertirte.